Ses cheveux sont blonds comme les blés et ses yeux bleus comme des bleuets.

“Oh, quelle belle enfant !”, s'exclame la jeune femme émerveillée. “Mais..., mais elle n'est pas plus grande que la moitié de mon pouce ! Tant pis, je l'adopte ! Je l'appellerai Poucette.”

Dans une coquille de noix, la jeune femme fabrique un petit lit à la taille de Poucette. Elle y dépose une feuille verte comme matelas et un pétale de rose comme couverture. Pour amuser Poucette pendant la journée, elle remplit d'eau un saladier qu'elle pose sur la table et qu'elle entoure de fleurs. Poucette pense que c'est un lac et vogue sur une feuille qui lui sert de barque. Elle devient l'amie des papillons qui volent de fleur en fleur et se posent parfois sur sa main.

Poucette vit ainsi pendant plusieurs semaines, très heureuse avec sa maman. Mais une nuit, alors qu'elle dort tranquillement dans sa coquille de noix, – Ploc ! – une grosse grenouille qui passait par là, saute jusqu'au lit de Poucette et se dit :

“Ho-ho !... voilà la femme qu'il faut à mon fils aîné !”

Et sur ce, celle emporte Poucette et sa coquille et file sans bruit. Seule une petite chenille la voit. Elle appelle, crie “Au voleur !”, mais personne n'entend sa petite voix.

La petite Poucette

d'après H.C. Andersen

Il était une fois une jeune femme qui rêvait d'être maman. Elle était tellement triste de ne pas avoir d'enfant. Un jour, elle rencontra la fée Gauchère ? Quel drôle de nom ! Savez-vous pourquoi on lui avait donné ce surnom-là ? Tout simplement parce que c'était une fée qui tenait toujours sa baguette magique dans la main gauche.

La fée Gauchère promit d'aider la jeune femme à avoir un enfant. Elle lui donna une poignée de graines magiques et, étendant sa baguette de la main gauche, elle lui dit :

"Sème ces graines dans un pré vert, surveille-les bien et ton vœu se réalisera."

La jeune femme s'empresse de rentrer chez elle et de semer des graines dans la partie la plus ensoleillée du jardin. Puis elle attend, le cœur battant. Soudain, elle voit une magnifique fleur rouge sortir de terre et grandir sous ses yeux. La jeune femme s'approche et donne un doux baiser aux pétales encore fermés. Au même moment – hop ! – les pétales s'ouvrent comme un parasol et, au milieu de la fleur rouge grande ouverte, se tient une toute, toute petite fille, jolie comme une fleur des champs.

Arrivée chez elle, la grosse grenouille dépose Poucette sur une feuille de nénuphar, au milieu de son étang.

"Où suis-je ?", demande Poucette en se réveillant le lendemain matin. Autour d'elle, elle ne voit que de l'eau, des nénuphars et des poissons.

Sur une autre feuille se trouve la famille des grenouilles : le père, la mère et le fils aîné qui est horriblement laid.

"Bonjour", coasse la mère-grenouille, "je te présente mon fils que tu vas épouser. Regarde comme il est beau ! Tu as vraiment de la chance !"

Désespérée, la petite Poucette fond en larmes.

"Laissons-la pleurer, elle sera bien contente une fois mariée", coasse la mère-grenouille en s'éloignant.

Heureusement, les poissons ont observé la scène.

Ils se concertent rapidement et, dès que les grenouilles tournent le dos, ils grignotent la tige de la feuille de nénuphar pour libérer Poucette, qui s'en va sur sa feuille, emportée par le courant.

Elle navigue sur l'étang puis, de là, sur un ruisseau, heureuse d'échapper à la famille des grenouilles et à son vilain fiancé. Elle raconte sa mésaventure aux gentilles libellules qui l'accompagnent, lorsque soudain – Frrrout ! Frrrout ! – elle entend battre des ailes et voit tomber du ciel un énorme hanneton qui l'attrape par les cheveux et l'emporte dans ses pinces.

"Au secours ! Au secours !", hurle la petite Poucette. Mais le hanneton continue son vol au-dessus du ruisseau. Arrivé au bord de la forêt, il dépose Poucette dans son nid et appelle ses amis.

"Venez voir", leur dit-il, "la belle fiancée que j'ai trouvée : ses cheveux sont blonds comme les blés et ses yeux bleus comme des bleuets !"

Les hannetons regardent Poucette des pieds à la tête, puis éclatent de rire :

"Ah, ah, ah ! Comme elle est maigrichonne !", s'esclaffe le premier.

"Où sont ses ailes ?", demande le second.

"Elle n'a que deux pattes !", dit un troisième. Le pauvre hanneton ne sait quoi répondre. Poucette est jolie, mais ses amis ont raison, il ne peut pas l'épouser.

"Tu peux partir", lui dit-il. "Je suis désolé de t'avoir enlevée, mais jamais ma famille ne voudra de toi !".

Et poucette s'en va à travers les champs et les bois, à la recherche de nourriture et d'un abri. C'est la fin de l'automne, et il fait froid. Poucette, grelottante, s'enroule dans une feuille morte comme dans un manteau et continue son chemin.

Les jours passent, tristement. Elle se nourrit de noisettes et boit l'eau des ruisseaux. Puis l'hiver arrive avec ses vents glacés.

Bzzzzz ! Bzzzzz ! La bise souffle, puis la neige se met à tomber. La feuille qui la protégeait s'envole et Poucette se retrouve sans manteau sous les flocons de neige presque aussi grands qu'elle. Mais elle continue courageusement sa route, espérant retrouver sa maison.

Un jour, elle voit briller une petite lumière au pieds d'un arbre. Elle s'approche et aperçoit une minuscule porte ouvrant sur une cuisine chaude et accueillante. A l'intérieur, une vieille souris, appuyée sur sa canne, lui fait signe d'entrer.

Poucette s'avance et dit : "Excusez-moi, dame Souris, j'ai faim et froid, n'auriez-vous pas une bouchée de pain pour moi ?"

Dame souris est une grand-mère.

Elle regarde avec tendresse la petite fille tremblante et lui dit de sa voix chevrotante : "Entre te réchauffer, ma chérie, je vais voir ce qui reste dans l'armoire."

Poucette s'installe devant le feu, reçoit un bon bol de lait chaud et raconte son histoire à la souris qui l'écoute patiemment, puis lui dit :

"Mon enfant, je suis bien vieille. J'ai des rhumatismes et bien du mal à tenir mon ménage. Si tu veux t'occuper de ma maison, tu peux t'y installer avec moi."

"Oh ! Grand merci, dame Souris !", s'écrie Poucette, "je ferai tout ce que vous demanderez !"

Le lendemain, Monsieur Taupe, un vieil ami de la souris, vient lui rendre visite. C'est un curieux animal qui vit au fond d'un terrier. Jamais il ne voit ni le ciel ni le soleil, mais c'est le plus riche des animaux de la forêt. Ses caves sont remplies de provisions !

Monsieur Taupe aime bien Poucette. Pour aller la voir plus facilement, il décide de creuser un souterrain entre son terrier et la maison de la souris. Lorsque les travaux sont terminés, il invite la souris et Poucette à lui rendre visite.

"Faites attention", les prévient-il, "un oiseau est couché dans le souterrain, mais il est mort, ne craignez rien."

Le soir suivant, dame Souris et Poucette s'engagent dans le souterrain pour aller chez Monsieur Taupe. Effectivement, un oiseau est couché dans un coin. C'est une hirondelle. Poucette ne peut pas croire qu'un si bel oiseau soit mort. Elle se penche sur la poitrine de l'hirondelle et écoute son cœur.

Toc-toc, toc, toc-toc..., il bat encore faiblement, donc l'hirondelle n'est pas morte ! Poucette la caresse furtivement, puis poursuit son chemin.

Mais cette nuit-là, quand la souris est endormie, Poucette sort de son lit et quitte la maison sans bruit, en emportant un édredon et du lait chaud.

Elle retourne près de l'hirondelle, la couvre de l'édredon et lui caresse la tête en lui disant des mots gentils. L'hirondelle ouvre lentement les yeux et Poucette lui fait boire le lait chaud, à petites gorgées.

“Merci, mon enfant”, murmure l'hirondelle, “tu me sauves la vie.”

"Chut !", dit Poucette, "ne fais pas de bruit ! Je reviendrai demain soir avec des miettes de pain et un peu d'eau sucrée".

Nuit après nuit, l'hirondelle se nourrit et reprend des forces. Elle raconte à Poucette que, s'étant cassé l'aile, elle n'a pas pu partir passer l'hiver au soleil avec les autres hirondelles.

Poucette lui raconte aussi son histoire, et toutes deux deviennent de grandes amies.

L'hiver passe.

Monsieur Taupe est de plus en plus gentil avec la petite Poucette. Va-t-il, lui aussi, vouloir l'épouser ? Hé-hé..., il semble bien que oui ! "Tu as bien de la chance", lui dit la souris, "Monsieur Taupe est un bon parti !"

"Mais je ne l'aime pas !", s'écrie Poucette horrifiée, "je ne veux pas vivre sous la terre avec lui !"

"Viens avec moi", lui propose l'hirondelle, "je suis guérie et je vais bientôt pouvoir m'envoler vers les pays chauds. Il te suffira de grimper sur mon dos ! Tu verras, c'est un beau voyage..."

"Je voudrais bien", dit Poucette, "mais je ne peux pas abandonner la souris qui a été si bonne pour moi !"

Le soir même, Monsieur Taupe la demande en mariage. "Hum, Poucette, ma chérie", lui dit-il, "je pense que tu seras une bonne épouse et, quand à moi, j'ai beaucoup à t'offrir. Mon terrier est spacieux, il contient tout ce que tu peux désirer, et, hum-hum, comme je suis très riche, tu ne manqueras jamais de rien. Tu ne devras pas sortir dans le soleil et la chaleur – hum, c'est si désagréable – pour chercher ta nourriture sous un ciel bleu éblouissant. Nous vivrons très heureux, il fait si calme au fond de la terre !"

Pauvre Poucette ! Elle sait bien que jamais elle ne pourra être heureuse sous la terre, mais elle n'a pas le choix... Elle passe donc l'été à broder sa robe de mariée. Monsieur Taupe a décidé qu'ils se marieraient en automne, afin de profiter des longues et sombres soirées d'hiver pour leur voyage de noces.

La fin de l'été arrive. Poucette marche tristement dans les champs de blé, blonds comme ses cheveux. Elle re-

garde en pleurant les bleuets, bleus comme ses yeux et tout ce qu'elle ne verra bientôt plus jamais.

La vieille souris ne comprend pas sa tristesse.

"Tu es sotte, ma fille", dit-elle de sa voix chevrotante. "Ah ! si j'étais à ta place ! Un homme si comme il faut, si bien de sa personne et riche comme un roi !"

Mais Poucette ne l'écoute pas. Elle est effrayée à l'idée de devoir vivre toute sa vie dans un terrier. Le jour du mariage arrive. Poucette fait une dernière promenade au soleil lorsque, en regardant le ciel, elle aperçoit son amie l'hirondelle.

Cette fois, Poucette n'hésite pas. Elle monte sur le dos de l'oiseau et s'agrippe à son cou.

"Emmène-moi !", lui dit-elle. "Emmène-moi loin d'ici !"

Et l'hirondelle s'envole avec Poucette par-dessus les forêts et les lacs, les montagnes et les océans. Finalement, elles arrivent dans le pays chaud dont l'oiseau avait si souvent parlé pendant les longues nuits dans le souterrain.

L'hirondelle commence alors à descendre, en décrivant de grands cercles pour atterrir enfin sur un magnifique palais, hérissé de tours et de toits pointus.

"C'est ma maison !", dit-elle fièrement à Poucette. "Mon nid est là, caché dans le lierre et les fleurs."

Poucette descend du dos de l'oiseau et regarde autour d'elle, en écarquillant ses grands yeux bleus.

Des arbres magnifiques et des fleurs parfumées poussent tout autour du château. Poucette est émerveillée.

Au milieu du parc, elle remarque une grande fleur blanche. En s'appprochant, elle y voit un jeune homme endormi. Il n'est pas plus grand qu'elle ! Il a des cheveux blonds comme les blés, des yeux bleus comme les bleuets, et..., et il porte une couronne d'or !

"Comme il est beau !", dit Poucette à l'hirondelle.

"C'est le roi des fleurs", répond l'hirondelle. "Viens, je vais te présenter."

"Majesté, je voudrais vous présenter mon amie Poucette, qui m'a sauvé la vie", dit l'hirondelle en s'inclinant.

Le roi des Fleurs se lève et n'en croit pas ses yeux. Qui est cette charmante personne aux cheveux blonds comme

les blés et aux yeux bleus comme les bleuets ? Il prend alors sa couronne d'or et la pose délicatement sur la tête de Poucette. “Voulez-vous être la reine des fleurs ?”, demande-t-il en rougissant.

“Oh oui !”, répond Poucette, les yeux tout brillants, “c'est ce que j'aimerais le plus au monde !”

Alors les petits habitants des fleurs, qui ont tout vu et tout entendu, s'approchent de Poucette et lui apportent des perles de rosée et mille petits cadeaux, en chantant la chanson du vent dans les roseaux.

Poucette et le roi des Fleurs se marièrent le lendemain. Ils vécurent heureux au pays du soleil et eurent de beaux enfants aux cheveux blonds comme les blés et aux yeux bleus comme les bleuets.